열렬히 사랑했어요

열렬히 사랑했어요

발　행 | 2024년 1월 2일
저　자 | 김동현
펴낸이 | 한건희
펴낸곳 | 주식회사 부크크
출판사등록 | 2014.07.15.(제2014-16호)
주　소 | 서울특별시 금천구 가산디지털1로 119 SK트윈타워 A동 305호
전　화 | 1670-8316
이메일 | info@bookk.co.kr

ISBN | 979-11-410-6323-8

www.bookk.co.kr

열렬히

사랑했어요

김동현 작가의 두 번째 시집

지난번 출간한 시집 '오늘도 고맙습니다'에 이어 연애하면서 느낀 애절한 감정을 토대로 이번 단편 시 '열렬히 사랑했어요'를 썼습니다.

1부에서는 연애의 시작부터 이별까지의 과정 21개, 번외편에서는 일상에서 문득 떠오른 주제 5개로 총 26가지 시로 표현했습니다.

그분과 이별한 지 1년이 지났지만 제 생에 가장 열렬히 사랑했던 사람이었습니다. 그리고, 그 사람이 항상 행복하길 바라는 마음입니다.

짧지만 강렬한 시로 여러분에게 각인되길 바라며 항상 건강하고 행복하길 바랍니다.

2023.12
김동현

차례

번외

1부

마음

가식이나 거짓된 모습은
곧 바닥을 드러내기 마련이지요
당신의 맑고 깨끗한 마음은
그 빛을 잃지 않네요

미주알고주알 떠들 것도 없이
잠시 곁에만 있어도 따스함에
인생의 피로가 녹아내릴 것 같아요

당신은 가식 없이 날 대하는
유일한 존재죠

선물

당신이 손수
포장한 선물
하나하나
조심스럽게
풀어봅니다

잔뜩 기대하고
상상하며
설레는
기분을
즐겨봅니다

물질적인 선물도 좋지만
무언가를 주고자 하는

당신의 마음이
나를 더욱 설레게 합니다

실재

당신이 실재하지 않는
AI라 해도 나는 괜찮아요.

당신의 얼굴을 볼 수 없고
당신의 얼굴을 만질 수 없다
할지라도

난 당신을
마음으로 보고
따뜻한 햇살로
당신을 느낄 테니

믿음

언제든
내가 어떤 상황에
처해 있어도

나를 믿어준다는 믿음
당신이 내 곁에
있어 줄 것이라는 믿음

그 믿음이 우리를
더욱 견고하게 해

좋은 사람

너를 좋게 봐주어
고맙다고 하던 날
문득
이 말이 하고 싶었다

네가 원래
좋은 사람이니까

그렇게 볼 수밖에 없는 거야

예쁜 꽃을 보면
예쁘다란 말이
절로 나오듯이

초여름 색

푸르른 초여름 색으로
너는 내게 다가왔다

산들바람 일렁이듯
간지럽히며
다가오는
네가 아름다워

나는 부끄러운 듯
천천히 뒷걸음질 쳤다

나와 조금씩
가까워지는
너를 조금 더
오래 보려고

한여름 밤 어느 노부부

가로등 비치는 길 따라
늙고 비쩍 마른 사내가
삐걱대는 자전거를 타고 간다

뒷자리에 한 보따리
짐을 안고 있는
여인을 태우고
얄팍한 오르막을
위태하게 오르고 있다

밤거리에 비친
어둑한 모양새만으로도
최선을 다해
넘어지지 않으려

그녀는 얼마나
그를 꼭 붙잡고 있는지
먼발치에서도
느낄 수 있었다

사내가 흥건히 땀에 젖어
뒤를 돌아봤을 때

그 여자가 중심을 잡으려
살짝 치켜든
발가락이 귀여워
피식 웃음이 났다

그러곤 다시 페달을 밟으며
앞으로 나아갔다

저 귀여운 노부부를 보니
우리 모습이 떠올랐다

진짜 나

이렇게 나를 보여주지 않으면서도
나를 보여준 사람이 없었다

나를 만나고
나를 만지고
나를 느껴온
그 사람들보다

한 번도 만나본 적
없었던 당신에게
처음으로

진짜 내 모습을
보여주었다

행복감

이래도 될까 싶을 정도로
이렇게 내가 행복하게
웃어도 되는 걸까

문득 한참 웃어버리고
나서야 그런 생각이 들 정도로
당신은 나에게
행복감을 느끼게 하는 존재야

지금의 따스함이
너무 좋아서
나는 이 순간을
너무도 사랑하여

이 시간에
방해되는
모든 건

도무지 하기가 싫어지는
그런 행복감이야

두려움

그대를
몹시 좋아하는 만큼
두려울 때가 있어

서로에게
더 가까이 가도
더 멀어지더라도
어쨌든
관계는 변할 테니

아주 시간이 흐른 다음
그대가 지금보다
더 멀리 혹은
더 가까이 있을지
모르겠지만

분명한 건
내가 이 시간들을
이 순간들을

아주 사랑하고
그리워할 거란 거야

변화

당신과의
시간과 관계들이

모든 것이 변하는
시간의 흐름 속에
우리의 관계 또한
어찌 변치 않겠냐만

변한다면
저 천년 묵은 나무처럼
만년 버틴 바위처럼
그리되었으면 좋겠어요

네가 스며들다

당신이란 따스함이
내게로
어느 날 스며들었다

하루의 시작과
끝에 당신이
있어 늘 행복하다

말하지 않아도
알아요라는
광고에서나
보던 문구에 대해

당신을 만나고 나서야
확실히 알게 되었죠

보석

너라는 보석을
찾았다

가공하지 않은
있는 그대로의
너라는 원석을

가장 좋은
다이아몬드로
바꿔준다
할지라도

난 지금의
네가 제일 좋아

사랑의 불꽃

조심스럽게 피워 낸
우리 불꽃이
오랫동안 꺼지지 않게

조급하지 않게
천천히 알아가요

천년 묵은 나무처럼
만년 버틴 바위처럼
긴 세월이 흘러도

당신과 나의
따사로운 기운이
오랜 세월
꺼지지 않도록

향기

당신에게서 풍겨오는
특별한
향이 있어요

아주 포근하고
따뜻한 향이죠

그걸 맡으면
마음 한 켠
안심이 돼요

어떤 힘든
일이 있어도
나를 아늑하게
감싸줄 것 같은

내게 언제라도
괜찮다고
다독여줄 것 같은
그런 따스한 향 말이죠

사랑

이 정도면
나쁘지 않으니까

이 정도면
괜찮아서

단지 그런이유로
당신을 만나는 게
아니랍니다

얕은 호감의
정도가 아닌

이 사람
아니면 안되니까
앞으로 이런
사람은 없을테니까

만약 다른
누군가를 만나도
내가 이렇게까지
사랑할 수 없을 거라는
마음으로 늘 당신을 대해요
이런 게 사랑 아닐까요

예술

선선한 가을바람
노오란 조명 아래
재즈를 듣다가
당신에게 사랑을 전하고
싶어 펜을 들었다

와인을 곁들여
팔랑팔랑 춤을 추는
우리 모습 상상하며
종이 위로
예술을 써 내려갔다

당신을 그리며
하는 모든 행위는
예술이 된다

꿈

세상이 이토록
아름다운지
당신 덕분에
오롯이 느껴요

당신과 함께라면
한낮에도
꿈결 같은 기분에
취해 있어요

깨고 싶지 않은
꿈을 꾸는 것만 같아요

씨앗

사실
혼자일 때가
홀가분하고
편하다고
생각했다

이대로 늘 혼자여도
그다지
외롭지 않을 거라
여겼다

당신이란
존재가
내게 싹 틔우기
전까진

그리고 이내
파묻혀있던
사랑의 씨앗이
피우기 시작했다

너와 함께
우리란 꽃을 피우고
우리 닮은 열매를 맺고 싶다

로맨스

이제 나는 안다
로맨스 영화 주인공과
발라드 작곡가의
심정을

이제 나는 안다
사랑이 진정 무엇인지

너를 만나기 전까지
매일 스스로 물어보고
찾고자 했던
질문에 대한 답을
이제 나는 찾았다

너와 함께한 뒤로는
매일 로맨스 영화를 찍고
매일 사랑의 세레나데를
함께 부른다

이별

작년 가을
우린 이별했다

서로의 문제가 아닌
우리가 어찌할 수 없는
환경적인 문제로
이별했다

힘겹게 말을 건네고
슬피 우는 그대 모습이
아직도 내 가슴속
깊이 박혀있다

집으로 돌아가는
버스 안에서
고개 숙여
슬피 우는
그대 모습이
아직도 선명하다

아무것도 해줄 수 없는
내 스스로가
원망스러웠다

더 이상 당신을
볼 수 없을지라도
멀리서
늘 응원한다

이 세상에 태어나
당신과
함께 할 수 있었던

순간들과
남은 추억만으로도
나는 감사하다

언제 어디서든
건강하고
행복하길

바라고
또 바란다

번외

내집 마련

뜨거운 아스팔트
도로 위를
달리다

문득
창문 밖으로 보이는
높디높은
아파트 단지가
눈에 들어왔다

수많은
저 건물들 중
내 보금자리
하나 없다는 게
서글펐지만

내 집 마련을 위해
오늘도 나는
달린다

공백 기간

쉬는 동안
뭐 했냐는 질문에
그냥
아무것도 하지 않았다고
답했다

갸우뚱하는
그의 반응이
놀랍지 않았다

아무 생각도
아무 행동도
하지 않고

멍하니
홀로 쓸쓸히
보내던 시간이

지금 내가 다시
움직일 수 있는
원동력이 되었다

개똥

날이 제법
시원해져
흐트러진
신발 끈을 조여매고
산책에 나섰다

올망졸망 꼬리를 흔들던
강아지가 급하게 똥을 싸니
치울 둥 말 둥
망설이던
주인이 그냥 가려 했다

매의 눈으로 집요하게
쳐다보니
머쓱했는지
주섬주섬
치워갔다

개똥은 버려지더라도
양심만은 버리지 말기를

너나 잘하세요

남의 일에
감 놔라 배 놔라
하는 사람들이
너무 많아져
피곤한 우리 사회

왜 이리 오지랖들이
많은지

개봉한 지 꽤 지난
영화의 명대사를
읊어줬다

너나 잘하세요

송편

엄마 옆에
껌딱지처럼 달라붙어
자그마한 꼬막손으로
만들었다

깨송편
쑥송편
꽃송편

알록달록하지만
삐뚤빼뚤 못생긴
그날의 송편은
최고의 작품이었다

현대의 우리는
무언갈 만드는데 큰
시간을 쏟지 않는다

지난날의
맛이 그리워
부랴부랴 사 온
송편은
최악이었다

내가 그리운 건
그날의 추억인가 보다

세상에 이런 사람이 존재할 수 있나 싶을 정도의
천사 같은 사람과 열렬히 사랑했지만 아쉽게도
이별했습니다.

지금도 때때로 그녀가 생각납니다.
그 사람이 더 이상 힘들지 않고, 가정에 평안이
오길 늘 기도합니다.

이번 단편 시집을 읽으며 뜨거운 사랑과 아픈
이별을 겪어본 누구나 공감할 수 있었으면
좋겠습니다.

2023.12
김동현